# 세상을 사랑하는 아이들

KB103313

세상을 사랑하는 아이들

**발행일** | 2024년 1월 2일
**지은이** | 수정초등학교 3학년 6반
    강소민 김범준 김소윤 김시윤 김시훈 김윤호 김은준 나예준 노다예
    노재연 박건률 박서연 서영후 오혜원 유소율 유준  이람  이서영
    이우정 정시율 조은서 조은율 차윤우 최서희 최성훈 최우철 최소원
**표지그림** | 빛살반 캐릭터(앞표지-박서연, 뒤표지-김소윤, 노다예, 이람)
**엮은이** | 박종훈(apcviolet@daum.net)
**펴낸이** | 한건희

**펴낸곳** | 주식회사 부크크
**주  소** | 서울특별시 금천구 가산디지털1로 119 SK트윈타워 A동 305호
**전  화** | 1670-8316
**이메일** | info@bookk.co.kr
ISBN | 979-11-410-6329-0

# 세상을 사랑하는 아이들

### 2023년 수정초등학교 3학년 빛살반 친구들
### (모두모아 열두 번째)

# 세상의 빛살들에게

3학년 빛살반 아이들이 일 년 동안 쓴 시를 모았습니다. 3월에 함께 시집을 읽고 이야기를 나눈 뒤 '하늘눈' 시 공책을 선물했습니다. 처음엔 시를 어떻게 써요? 뭘 써요? 하며 많이 물었습니다. 시간이 지나자 시 쓰기 시간이 아닌데도 시 공책에 시를 써서 가져왔습니다. 학교 오면서 본 곤충, 아침에 바쁜데 동생 때문에 화나는 일, 속상한 일, 친구 때문에 웃은 일, 가족과 여행을 다녀와서 기억에 남는 일 등을 쏟아냈습니다.

일상생활에서 느끼는 감정을 알아채고 솔직하게 쓴 시 한 편을 선물해 주어 고마웠습니다. 제가 한 일은 들고 온 시를 같이 읽고 못다 한 이야기 들어주고 감정을 나눴을 뿐인데, 개운한 표정으로 들어가는 아이들을 보고 시의 힘을 한 번 더 느낍니다. 아이들은 선생님에게 이야기하면서 풀렸다 생각하지만 이미 시를 쓰면서 답답했던 마음이 대부분 풀렸습니다.

아이들과 시를 쓰면서 추억도 남았습니다. 시 쓸거리를 찾는다며 운동장을 거닐고 화단에 쪼그리고 한참을 앉아 있기도 했습니다. 교실에서 가가볼을 하면서 친구의 표정을 자세히 관찰하고, 말판놀이와 땅따먹기 놀이를 하면서 겪은 일을 떠올리기도 했습니다. 누워서 가을 하늘을 바라보고 낙엽을 던지며 한참을 깔깔거렸습니다.

비가 오는 날엔 우산을 쓰고 빗소리를 들으러 갈 거라고 했더니 비만 오면 언제 나갈 거냐고 끊임없이 물어봅니다. 세차게 비가 내리는 날, 설레는 마음으로 운동장에 나갔는데 바람이 너무 세게 불었습니다. 아이들 우산이 뒤집히고 저 멀리 날아가고, 아이들은 우산 잡으러 또 뛰어가고. 이미 젖었으니 아이들은 더 신나게 뛰고

참방참방 물을 튀겼습니다. 처음 생각했던 수업과는 너무 다르게 흘러갔지만 언제 이렇게 해보겠나 싶어 같이 즐겼습니다. 교실 뒤 건조대에 아이들 양말이 빼곡히 널렸습니다. 비만 오면 아이들은 시 쓰러 나가자며 조릅니다.

멋진 시를 쓰거나 시인이 되기 위해서 시를 쓰는 건 아닙니다. 자기 주변에 있는 것들을 자세히 바라보고, 자기만의 눈과 마음으로 세상을 바라보며, 따뜻한 마음으로 남과 더불어 살아가기 위해 시를 쓰는 거랍니다. 어느 시인은 길거리나 사람들 사이에 버려진 채 빛나는 마음의 보석들을 줍는 것을 시라고 했습니다. 누군가는 그냥 스쳐 보내는 일상을 담아내는 마음의 힘과 눈을 가지면 좋겠습니다.

부모님들은 아이의 시를 볼 때 다른 친구들 시와 비교하지 말고 온전히 우리 아이의 마음을 읽어주시면 좋겠습니다. 혹시 시를 보다가 언짢은 마음이 들 수도 있을 것입니다. 그러나 그것은 단지 시 쓸 때의 순간 느낌이나 생각이니 너무 섭섭해 하지 마시고 '이런 생각도 했구나.' 하면서 아이의 소중한 마음을 읽어주시면 고맙겠습니다.

항상 반을 맡으면 빛살반이라고 불렀습니다. 스스로 빛나고 곧게 나아가는 빛살, 어둠을 밝혀주고 다른 사람에게 따스함을 전해주는 빛살, 꺾이더라도 끝까지 나아가는 빛살. 아이들이 그런 사람이 되길 바라며 반을 함께 만들어 갑니다. 올해 시를 쓴 시간들이 빛살들에게 조금이나마 도움이 되고 추억이 되면 좋겠습니다. 이 시집을 읽는 세상의 모든 빛살들에게도 자그마한 기쁨이 되면 좋겠습니다.

2024년 1월 세상의 모든 빛살들을 응원하는 박종훈

# - 차 례 -

# 삶이 시가 되고 시가 삶이 되다

# 불쌍한 개 주인

수정초 3학년 강소민

길을 가고 있는데
개와 개 주인이 보였다.
왠지 모르게
개가 말을 안 듣는 것 같다.
주인이 힘들게
개를 끌고 가는 게
불쌍해 보였다.
내가 데려다주고 싶다.

2023. 7. 13.

•강소민•
시는 새야. 날아다니는 주제를 잡아 오니까.
시 쓰는 시간은 고민, 행복, 기쁨 등 내 마음을 시로 쓸 수 있어
재밌다.

# 발냄새 나는 1인 1역

수정초 3학년 강소민

내 1인 1역은
'빛나는 신발장'이다.
근데 친구들 발냄새가 난다.
빨리 1인 1역 바꾸고 싶다.
난 선생님 도우미 하고 싶다.

2023. 7. 14.

# 영어 숙제

수정초 3학년 강소민

영어 학원 쌤이 말한다.
"이 숙제 안 하면
 한 시간 더 하고 간다."
이 말이 제일 싫다.
영어가 조금 어려워서
숙제 하기가 어렵다.

2023. 9. 14.

## 네가 너무 좋아

수정초 3학년 강소민

나는 ○○가 좋다.
착하고 멋지고
성격도 좋다.
다 괜찮다.
옛날에는 좋았는데
지금은 그 모습이 아니라 그냥 그렇다.
다시 예전처럼 좋아졌으면 좋겠다.

2023. 10. 12.

# 애들아! 너무 예뻐!

수정초 3학년 강소민

교실 밖 공원에 가서
단풍과 아름다운 풍경 앞에서
사진을 찍는다.
근데 큰일이다.
우리 모둠 친구들이
너무 예쁘고 귀엽다.
예쁜 풍경이 있어서
더 이쁜 것 같다.
"애들아 눈이 부셔."

2023. 10. 24.

# 아크릴 물감

수정초 3학년 강소민

그림 대회를 했다.
아크릴 물감을 가지고 왔다.
엄마가 정성껏 챙겨줬는데
한 번도 안 쓰고
친구 물감만 빌려 썼다.
내 마음도 안 좋고
엄마 마음도 안 좋고
가방만 무겁다.

2023. 11. 16.

# 슬라이딩 조은율

수정초 3학년 강소민

내 짝 조은율은
시 공책을 가지러 갈 때면
슬라이딩을 한다.
슬라이딩을 왜 하는지 모르겠다.
멋지게 보이려고?
아님 관심 끌려고?
나도 슬라이딩을 해봤다.
재밌지만 무릎이 아프다.
다음부터는 안 해야겠다.
'슬라이딩 바이방'

2023. 12. 4.

# 고누 한 날

수정초 3학년 김범준

고누를 했다.
처음에 성훈이랑 선생님이 했는데
선생님이 너무 못하는 것 같다.
이제 나랑 성훈이가 했는데
성훈이가 너무 잘했다.
쌤이 왜 그렇게 못했는지
알겠다.

2023. 4. 13.

•김범준•
시는 침대에서 잠자기야. 시 쓰는 순간은 조용하거든.
시를 쓸 땐 반이 조용하고 내 마음도 편안해진다.

# 새

수정초 3학년 김범준

놀이터 앞에서 새를 봤다.
근데 머리랑 몸이 갈라져 있다.
아무리 벽에 세게 부딪혀도
이러지는 않을 텐데
왜 갈라졌는지 모르겠다.
새가 너무 불쌍하다.
내가 묻어 주고 싶었는데
징그러워서 그러지 못했다.
자꾸만 생각난다.

2023. 4. 20.

# 어머니

수정초 3학년 김범준

어머니랑 교회 가는데
늦었다고 뛰라고 했다.
내가 엄청 빨리 뛰었는데
어머니가 오토바이 탄 것처럼
빠른 속도로
나를 제치고 가서
너무 놀랐다.

2023. 4. 21.

# 아빠가 고마운 순간

아빠가 내가 공부할 때
모르는 문제를 풀어줬다.
대부분의 아빠들은 푸는 걸 도와주지
우리 아빠처럼 답을 알려주진 않는다.
답을 알려주다니 너무 고맙다.
많은 숙제를 금방 다 했다.
근데 엄마한테 들켜서
둘 다 혼났다.

2023. 4. 27.

# 축구화 산 날

수정초 3학년 김범준

엄마가 축구화를 사주었다.
바로 손흥민 축구화이다.
예전부터 갖고 싶었는데
너무 기분이 좋았다.
엄마가 정말 고마웠다.

근데 축구화 사주는 대신
용돈에서 돈을 주란다.
좋아하다 놀라서
엄마를 다시 쳐다봤다.

2023. 5. 4.

# 빗소리

수정초 3학년 김범준

선생님이 빗소리를 들려주었다.
통통통 싸르르르
조용히 듣고 있는데 윤호가
변기통에 똥 내려가는 소리라 했다.
진짜 비슷했다.
빗소리가 이런 소리가 나다니
너무 웃기다.

2023. 7. 14.

# 편안

수정초 3학년 김범준

옆에 공원으로
교실 밖 수업을 갔다.
돗자리에 누워서
가을 하늘 보기를 했다.
너무 잠이 와서 살짝 잤다.
너무 편하다.
수업 시간이
이렇게 편한 건 처음이다.

2023. 11. 2.

# 비밀 친구

수정초 3학년 김소윤

비밀 친구를 했다.
쪽지를 뽑고 봤는데
이람이었다.

람이를 관찰했는데
숙제를 할 때 어려우면
발을 동동거린다.

많이 웃고 인기가 많다.
비밀 친구를 하며
친구를 알게 되니 좋다.

2023. 6. 9.

•김소윤•
시는 무지개야. 여러 빛으로 시를 쓰거든.
시 쓰기를 할 때 난 시간이 많이 걸린다.
그래도 괜찮다. 시 쓰는 건 재밌으니깐.

# 언니

수정초 3학년 김소윤

할로윈 파티를 했다.
파티가 끝나고 정리를 하는데
언니는 폰만 하고
내가 정리를 다했다.

엄마가 누가 정리했냐고 물었는데
언니가 자기가 다 치웠다고 우겼다.
밤과 고구마를
백 개 먹은 것처럼
답답하다.
소리를 지를 뻔했다.

내 방에 들어가서
소리 없이
'언니!' 하고 소리쳤다.

2023. 6. 22.

# 티비

수정초 3학년 김소윤

엄마가 바람 쐬고 온다고 나갔다.
난 책을 읽고 있었다.
책을 다 읽고 소파에 앉았는데
엄마가 왔다. 난
"엄마, 왔어요?" 라고 했는데
엄마가
"니 티비만 봤지?"하고 소리쳤다.
하……. 
엄마 억울해요.

2023. 6. 22.

# 도시락

수정초 3학년 김소윤

현장체험학습 가서
도시락을 먹는다.
나는 김밥밖에 없는데
다른 애들은 소시지도 있다.
너무 속상하다.
엄마한테 물었다.
"왜 나는 김밥밖에 없어요?"
"미안해. 재료가 없어서 그래."

엄마가 미안해하니
내가 소리친 게 미안하다.

2023. 7. 6.

# 미안해

수정초 3학년 김소윤

우리 집 강아지 보리는
아프다.
그래서 잘 뛰지도 못한다.

눈은 새파랗고
몸은 부들부들 떤다.
내가 움직일 때마다
날 따라오는데
아파서 몸을 부들부들 떨며
날 따라온다.

보리가 안 아플 때
더 놀아줬어야 했는데
아프니 놀지도 못한다.
너무 미안하다.

2023. 7. 13.

# 어떻게 하라는 거죠?

수정초 3학년 김소윤

문구점에서 마음에 드는
캐릭터 볼펜을 봤다.
"이거 사도 돼요?" 물었는데
엄마가 "니 알아서 해라."라고 했다.
눈치가 보인다.
사야 되는지 안 사야 되는지
어떻게 하라는 거죠?

2023. 9. 14.

# 사탕

수정초 3학년 김소윤

사탕이 안 뜯어져서
끙끙거린다.

언니가 "뜯어줄까?"하고 묻는다.
'줘야 하나?' 하고 생각 중이다.

'아니'라고 하면
기분 상할까 봐
"응"이라고 한다.

2023. 10. 19.

# 가가볼

가가볼을 했다.
모둠끼리 팀이 됐다.
1번과 2번이 하고 내 차례가 됐다.
공이 좀 무서워서 공격은 못하고
계속 피하기만 했다.
그런데 결국 내가 이겼다.
공격 한 번도 안 하고
피해다니기만 했는데
내가 이겨서 당황했다.

2023. 4. 20.


•김시윤•
시는 놀이터야. 놀이터의 미끄럼틀을 타는 것처럼 재미있거든.
시 쓰기 시간에 내 모든 걸 쏟아부었다.
학원이 원래 3개인데 엄마가 4개 가라고 했다. 짜증나고 슬퍼도
엄마한테 말하지 못했는데 시 공책에 화나는 말을 다 적었다.
이제 내 마음이 편안해졌다.

# 아빠 고마워

똑바로 공부 안 하냐며
엄마한테 혼이 났다.
방에서 울었다.

아빠가 방문을 열고 들어와
위로해 주었다.
아빠가 메롱 하면서
웃긴 표정을 해주니까
입이 씩 올라갔다.
아빠가 고마웠다.

# 바람과 문

수정초 3학년 김시윤

엄마, 아빠한테 칭찬받으려고
장난감 방을 청소하고 있었는데
바람 때문에 문이 쾅 닫혔다.

엄마랑 아빠는
내가 장난감 방에 있어서
장난감을 던진 줄 알았다.

내가 아니라고 했는데
계속 의심했다.
엄마, 아빠한테 혼이 나서
내 방에서 울었다.

2023. 6. 22.

# 나쁜 아줌마

수정초 3학년 김시윤

집에 가고 있었는데
어떤 아줌마가
강아지 목줄도 안 채우고
가고 있었다.

인사를 하고 가려는데
개가 갑자기 내 쪽으로 와서 짖었다.
깜짝 놀라서 '꺄야야'라고 소리쳤다.
아줌마는 사과도 안 하고 갔다.
어이가 없다.

2023. 7. 13.

# 영어 시험

수정초 3학년 김시윤

영어 학원에서 두 개의 시험을 쳤다.
20점이 만점인데
10점을 맞으면
엄마한테 혼난다.
그래서 열심히 풀었다.
'제발! 제발!
15점이라도 괜찮으니
10점만 아니길…….'

시험 발표 날
14점. 4점이 올랐다.
너무 행복했다.
엄마한테 400원을 받았다.

2023. 10. 17.

# 소금

수정초 3학년 김시윤

아빠랑 삶을 달걀을 먹었다.
아빠가 소금이랑 같이 먹으라고
김 통에 주셨다.
잠시 아빠가 청소하러 간 사이
달걀 먹다가 소금을 다 흘렸다.
갑자기 아빠가 무서워졌다.
빨리 소금을 치우려고 했지만
너무 많아서 치울 수가 없었다.
결국 아빠한테 걸려서 혼났다.
다음에 또 그럴까 봐 걱정이다.

2023. 10. 17.

# 붕어빵

수정초 3학년 김시윤

피쉬월드에 체험학습 가서
금붕어 두 마리를 받아서 키웠다.
일주일이 지나 한 마리가 죽었다.
아빠가 눈치 없게 붕어빵을 사왔다.
슬펐다.

다음 날 학교 급식에
붕어빵이 또 나왔다.
차마 다 먹을 수 없었다.
눈이 마주쳐서 꼬리만 먹었다.

2023. 11. 30.

# 아빠 짱

수정초 3학년 김시훈

어렸을 때 일이지만
아직도 기억이 난다.
아빠가 장난감 가게에서
나한테 전화해서
무슨 장난감 살 거냐고 물어보고
사와서 정말 고맙다.

2023. 4. 27.

•김시훈•
시는 보석이야. 불편한 마음이 있을 때 시를 쓰면 보석처럼 기분이
좋아지니까.
우리 반은 시 쓸 때 이상하게 엄청 조용하다.

# 축구 카드

수정초 3학년 김시훈

피파 카드 뽑을 때
원래 똥손이었다.
수요일에 한 팩을 샀는데
모아메드 살라가 나왔다.
기분이 좋았다.
똥손에서 금손으로 바뀐 것 같다.

2023. 5. 25.

# 독버섯

수정초 3학년 김시훈

미술 시간에 오감 카드 쓰기를 했다.
난 오감 카드에 독버섯을 썼다.
그런데 교실에 와서 선생님이 혼내셨다.
내가 맛을 안 봤는데
장난으로 맛봤다고 한 걸
범준이가 소문낸 것 같다.
그래서 속상하다.

2023. 6. 2.

# 사마귀

수정초 3학년 김시훈

영후랑 학교 중정에서
사마귀를 잡았다.
집에서 사마귀를 키운다.
내 식구가 더 생긴 것 같다.

2023. 7. 6.

# 롤러장 생일 파티

수정초 3학년 김시훈

지혜 누나랑
생일 파티를 미리 하기로 했다.
케이크를 먹고
인형도 사고 노래도 불렀다.
롤러도 타고 생일 선물도 주었다.
고기도 먹고
너무 너무 재미있었다.

2023. 10. 5.

# 곤충 잡기

수정초 3학년 김시훈

공원에 교실 밖 수업을 갔다.
자유 시간 때 유준이랑 곤충을 잡았다.
나비를 잡으려고 했는데
잘 안 잡혔다.
이제 가자고 할 때 딱 잡았다.
유준이가 웃었다.
마지막에 잡힌 걸 보니
나비가 날 기다려 준 것 같다.

2023. 11. 2.

# 늑대 거북

수정초 3학년 김시훈

저금통에 있는 돈으로
늑대거북을 살 것이다.
근데 아빠한테 아직 안 물어봤다.
제발 제발 되면 좋겠다.
내 방에 있는
늑대 거북을 상상한다.

2023. 12. 4.

# 목검

우리 아빠는 거실에서
내가 목검을 들면 불안해 한다.
TV를 부술까 봐
다칠까 봐
아빠는 너무 예민하다.

2023. 3. 30.

•김윤호•
시는 행복이야. 시를 쓰면 행복해지거든.
시를 쓰면 시가 내 고민을 다 들어주는 것 같아 편안해진다.

# 말 없는 엄마

수정초 3학년 김윤호

엄마는 가끔
내가 무엇을 만들어서 보여주면
제대로 보지도 않고
"어! 잘했네." 하고 대충 말한다.
그런데 시험지처럼
공부에 관련된 건 바로 반응한다.

2023. 5. 11.

# 시끄러운 가족

수정초 3학년 김윤호

서점에 가서 책을 고르고 있었다.
아이 두 명이 들어와서
뛰어다니며 소리를 질렀다.
아빠가 오더니
"너희들 시끄럽게 하지 마."
엄마는 큰 소리로
"내가 찾던 책이 여기 있네."

아이들 떠든다더니
엄마, 아빠가 더 시끄럽다.

2023. 6. 26.

# 건방진 우산과 14일

수정초 3학년 김윤호

오늘 비가 온다.
솔직히 비가 온다기보다는
바람이 더 많이 분다.
우산이 뒤집혀졌다.
한 번, 두 번, 세 번
우산은 정말 건방지다.
에라이! 또 뒤집혀졌네.

2023. 7. 14.

# 병원 마감

수정초 3학년 김윤호

운이 안 좋다.
추석에 감기에 걸려서
병원에 가야 하다니.

소아과를 두 군데나 갔는데
모두 마감이었다.

내과를 갔는데
의사 선생님이 나를 힐끗 쳐다보더니
"아이는 진료 안 됩니다."

결국 약국에서 약만 처방받았다.
'그냥 처음부터 약만 사면 될걸
다리만 아프다.'

2023. 10. 5.

# 불이 안 켜진 유등

수정초 3학년 김윤호

유등 축제를 보러 갔는데
아직 유등에 불이 안 켜졌다.
'아직 4시라 안 켜졌나?' 생각했다.
그런데 5시, 6시, 7시가 됐는데
불이 안 켜졌다.
결국 불 켜진 유등은 못 보고 왔다.

2023. 10. 19.

# 수건 돌리기

수정초 3학년 김윤호

교실 밖 수업을 했다.
자유 시간에 수건 돌리기를 했는데
나한테만 수건이 안 오는 느낌이 들었다.
혹시 뒤에 있나 싶어 뒤돌아봤는데
손수건이 있었다.
바로 친구를 잡으러 갔는데
간발의 차이로 놓쳤다.
수건을 줄 친구를 고르고 있는데
애들이 빨리 하라고 혼냈다.
애들한테 혼나니까
기분이 이상했다.

2023. 10. 24.

# 빛살이

알, 애벌레에서
번데기, 나비가 되었다.
반에서 나온 첫 번째 나비라
이름을 빛살이로 지었다.
쉬는 시간마다 들여다 보면서
이름을 불러줬다.
화단에서 빛살이를 보내주고 나니
점점 그리워진다.

2023. 5. 25.

•김은준•
시는 쉬는 곳이야. 시로 뭔가를 쓰면 마음이 편하거든.
시 쓰기를 하러 밖에 나와서 시 공책을 폈는데, 바람이 너무 세서
공책이 나한테 싸대기를 날린다. 마치 살아있는 듯하다.

# 동생 때문에

수정초 3학년 김은준

엄마가 TV를 켜는데
입력 신호가 안 잡혀서
내가 고치고 있었다.
치이익~
텔레비전에서 나오는 소리에
동생이 무서워서 울었다.
내가 동생을 때려서 우는 줄 알고
엄마가 오해했다.
정말 억울했다.

2023. 6. 22.

# 불쌍한 매미

수정초 3학년 김은준

등교하는 길에
죽은 매미를 보았다.
매미, 너무 불쌍하다.
불쌍해 보여서
밟지도 않았다.
학교에 와도
그 매미가
아직도 생각난다.

2023. 7. 13.

# 자리 바꾸기

수정초 3학년 김은준

오늘은 자리를 바꾼다.
누가 짝지가 될까?
정말 궁금하다.
선생님이
자리 바꾸기 버튼을
누르려고 하면
가슴이 쿵쾅거리고
긴장되면서 설렌다.
화면에 자리가 바뀌면
환호성과 한숨이
같이 나온다.

2023. 7. 14.

# 장기자랑

수정초 3학년 김은준

오늘 장기자랑을 했다.
춤을 추는데
혼자 하긴 그래서
친구와 같이 하기로 했다.
그런데 같이 맞추려니
오히려 더 긴장된다.

2023. 7. 21.

# 불쌍한 문어

수정초 3학년 김은준

삼천포에 해물탕을 먹으러 갔는데
문어가 있었다.
아빠는 탈출하려는 문어를 막고
할아버지가 가위로 문어를 죽였다.
나는 제대로 볼 수 없었다.
문어를 먹지도 않았다.
문어가 죽는 장면이 자꾸 떠오른다.
마음이 너무 아프다.

2023. 10. 19.

## 독서자랑대회

수정초 3학년 김은준

책 표지를 새롭게 만들어
그리기를 했다.
내가 그림을 완성하고 나니
친구들이 이 중에서
제일 잘했다고 한다.
내가 보기엔 다른 게 더 잘해 보이는데
잘한 거 맞겠지?

2023. 11. 16.

# 코로나

수정초 3학년 나예준

2학년 때 코로나에 걸렸다.
5일 동안은
시간이 빨리 갔으면 하고 생각했다.
6일째가 되니
시간이 늦게 가면 좋겠다고 생각했다.
근데 생각과 반대로 됐다.

2023. 5. 25.

•나예준•
시는 새야. 훨훨 날아다니니까.
시 쓰기 시간에 태블릿으로 시를 쓰는데, 갑자기 시가 날아갔다.
역시 시는 새다.

# 운 좋은 날

수정초 3학년 나예준

시율, 은율이와 함께
의자 밑에 있는 버섯을
관찰해서 카드에 쓰려고 했다.
하지만 촉감을 적어야 해서
가위바위보 해서 진 사람이
희생하기로 했다.
결국 은율이가 하기로 했다.
운이 정말 좋다.

2023. 6. 2.

# 선생님

수정초 3학년 나예준

시 쓰기 시간에
억울한 일을 말한다.
손을 들었다.
순간 생각이 안 나서 넘겼더니
선생님이 다시 안 시켜 주셨다.
억울한 일이 생겼다.

2023. 6. 22.

# 버스

수정초 3학년 나예준

현장체험학습 가는 버스에서
멀미 때문에 앞에 앉아서
옆에 친구가 없다.

처음엔 살짝 누울 수 있어 좋았다.
10분 뒤에는 친구가 필요해.
10분 뒤에는 누우니까 좋네.
10분 뒤에는 아! 심심해.
10분 뒤에는 누우니까 좋네.
반복이다.

그냥 친구랑 같이 앉을 걸 그랬다.

2023. 7. 13.

# 가장 듣기 싫은 말

수정초 3학년 나예준

맛있게 밥을 먹고 있는데
엄마가 말한다.
"빨리 숙제해.
엄마가 어릴 땐 12시까지 공부했어."
나도 열심히 하는데
자꾸 그러니깐 짜증이 난다.

2023. 9. 14.

# 고백

수정초 3학년 나예준

유치원 때
편지와 함께 고백을 받았다.
그냥 무시했다.
다음날 나한테 고백했던 아이가
다른 애한테 고백했다.
무시하길 잘했다.

2023. 10. 13.

# 기분 안 좋은 날

수정초 3학년 나예준

오늘은 오케스트라를 안 간다.
신호등도 내가 올 때 딱 초록불이다.
준비물도 잘 들고 왔다.
숙제도 다해서 챙겼다.
기분이 상쾌하다.

기분 좋게 교실에 들어와
칠판에 붙은 달력을 보니
월요일
갑자기 기분이 안 좋아졌다.

2023. 12. 4.

# 벌레

수정초 3학년 노다예

우리 반에 벌 같은 벌레가 들어왔다.
애들이 '으아악!' 소리를 질렀다.
나도 무서워서 '으아악!'
소리를 지르며 발을 동동 굴렸다.
선생님이 괜찮다고 했는데
우린 안 괜찮았다.

쉬는 시간 종이 칠 때
선생님이 빗자루로
'슈슈슉'하면서 쫓아냈다.
선생님이 멋진 것 같다.

2023. 4. 21.


•노다예•

시는 기쁨이야. 시에 기쁜 일을 쓰면 기쁜 일이 찾아오거든.
우두둑 빗소리를 들으며 밖에서 시 수업을 했다. 난 너무너무 행복
했지만 비가 와서 싫었다. 그래도 친구들과 장난치며 행복했고,
시를 쓰면서도 행복했다.

## 아빠의 후회

수정초 3학년 노다예

아빠가 술을 먹고 들어와서
나한테 용돈을 줬다.

그건 바로 5만원이었다.
근데 아빠한테 5천원이라고
뻥을 쳤다.
아빠가 5만원을 또 주었다.
고맙다고 말하며 안아드렸다.

아빠가 자고 일어나
지갑을 열어봤는데
10만원이 없어졌다며
후회를 했다.

2023. 4. 27

# 루돌프

최성훈 책상 위에
루돌프가 있다.
그것도 귀가 한 개밖에 없는 루돌프
예전엔 두 개가 모두 떨어져서
루돌프가 허전해 보였다.
근데 오늘 귀가 한 개 나타났다.
그걸 풀로 붙여서
아주 신중하게 부채질을 하고 있다.
너무 웃겨서 쓰러질 뻔했다.

2023. 6. 22.

# 구피당!

수정초 3학년 노다예

엄마가 구피를 키운다고 해서
너무 좋아서 소리를 질렀다.
엄마가 갖고 왔다.
맨 처음에는
내가 엄청 중요하게
생각하고 키웠는데
요즘은
아빠랑 엄마가 키우고 있다.
데헷!

2023. 7. 13.

# 말똥

수정초 3학년 노다예

진주성에서 퍼레이드를 해서
보러 갔다.
말이 등장해서 정말 좋았다.
'우와! 말이다.' 하면서 감동받고 있었는데
말이 똥을 쌌다.
더럽고 밟을까 봐 걱정됐다.
할머니가
"어유, 냄시야"하는 말에
빵 터졌다.

2023. 10. 17.

# 이상한 카톡 이름

수정초 3학년 노다예

언니가 내 폰을 보고 있다.
내 친구들 카톡 이름을
이쁘게 바꿔 달라고 했다.

소원이는 '소원을 말해 봐'에 알라딘 이모티콘
서연이는 빡서여이
소윤이는 이름 없는 이름
재연이는 쭉이
소민이는 언니 친구 이름과 비슷하다고 소망이

진짜 이상하게 저장했지만
엄청 웃겨서 쓰러졌다.

2023. 11. 30.

# 박건률은 모델

수정초 3학년 노다예

쉬는 시간에 역할극을 하며 놀았다.
박건률은 모델이다.
남자인데 여자 모델 흉내를 낸다.
얼굴을 찡그리며 이상한 표정을 하고
손은 허리에 올리고
또각또각 그렇게 걷는다.
너무 자연스러워서
여자보다 더 여자 같다.

2023. 12. 13.

# 아빠

수정초 3학년 노재연

언니가 말을 안 들어서
엄마한테 혼나고 있을 때
아빠가 엄마한테
"이제 그만해라."
엄마가 나온다.
그런 아빠가 멋지다.

2023. 4. 21.

•노재연•
시는 마음이야. 시를 쓰면 마음이 편해지거든.
시 쓰기 시간이 되면 내 머릿속은 하얘진다.
시 쓰기 시간이 되면 이상하게 아무 생각도 나지 않는다.

# 엄마

수정초 3학년 노재연

공부하다가 엄마한테
뭐 물어보려고 가고 있었다.
가는 길에 언니 방 문이
반 정도 열려 있어서 궁금해서 들어갔다.
언니가 놀고 있었다.
엄마가 갑자기
"언니 공부하니까 나와!"
억울했다.

2023. 6. 22.

# 짜증나는 말

수정초 3학년 노재연

가족과 함께 외식하러 갔는데
언니가 엄마한테 대들어서
내가 한숨을 쉬었다.
언니가 나한테
"니가 뭔 상관이야."라고 했다.
너무 화가 났다.

2023. 9. 14.

# 걱정

수정초 3학년 노재연

6시가 넘었다.
엄마가 전화를 해서
빨리 집에 오라고 했다.
언니에게 가자고 했는데
언니는 미끄럼틀을 조금만 더 타자고 했다.
결국 5분이 넘어 집으로 뛰어갔다.

집으로 뛰어가는 길에
내 마음 한쪽이 쿵쾅쿵쾅
엄마가 혼을 많이 낼까 봐 걱정이다.

띠띠띠띠~
문을 열자 엄마가 우리를 혼내기 시작했다.
곧 엄마의 잔소리 폭탄이 끝났다.
엄마에게 혼나고 나니
차라리 마음이 편하다.

2023. 10. 19.

# 낚시

수정초 3학년 노재연

현장체험학습 가서 낚시를 했다.
우리 모둠 소민이가
30cm짜리 잉어를 잡았다.
소민이가 물고기를 꺼내면서
다리를 바동거리는 게 재밌었다.
하지만 물고기가 파닥파닥거리는 것을 보니 무섭다.
낚시 시간이 끝났는데
내 먹이는 물고기들이
먹튀도 하지 않아서 아쉬웠다.

2023. 10. 30.

# 합창부

수정초 3학년 노재연

학예회 공연을 했다.
공연 준비를 하는데
율동하는 줄이 달라져서 당황했지만
잘 알고 있어서 다행이었다.
그런데 옷이 얇아서
너무 추웠다.
공연을 할 때도
손이 너무 차가웠다.
그래서 감기에 걸린 것 같다.

2023. 11. 13.

# 숙제하기 싫다

수정초 3학년 노재연

숙제하기 싫다.
너무 하기 싫다.
'숙제'라는 것을 만든 사람을
때리고 싶을 만큼

숙제만 없으면
게임도 펑펑하고
계속 놀고 싶다.
진짜 짜증난다.
숙제하기 싫다.

2023. 11. 20.

# 술래잡기

수정초 3학년 박건률

교실 밖 수업을 했다.
선생님이 술래를 해서
아이들이 빨리 달려갔다.
선생님이 너무 빨랐다.
너무 숨차서 걸어가다 나도 잡혔다.

선생님이 너무 힘들어서
우리끼리 하라고 할 때
아이들이 실망했다.
나중에 선생님이 다시 술래할 때
아이들이 환호한다.
놀랍다.

2023. 4. 4.

•박건률•
시는 편안함이야. 시를 쓰면 마음이 편안해지거든.
나는 시를 쓸 때 경험을 떠올린다. 가만히 떠올린다.
어떻게 재밌게 쓰는지 떠올린다. 시를 다 쓰면 한 편 더 쓰게 된다.

# 공기놀이 왕

수정초 3학년 박건률

축제 놀러 가서 뽑기를 했는데
꽝이 나왔다.
너무 서러웠는데
가게 이모가 말했다.
"공기놀이 성공하면 상품 줄게요."
어머니가 자신 있어 했다.
옛날에 공기놀이 왕이었단다.

손이 재빠르게 움직인다.
공기가 떨어질 듯하면서도
손에 착착 달라붙는다.
공기놀이 끝판을 다 깼다.

이모는 놀라고
어머니는 웃었다.
그 모습이 너무 멋있었다.

2023. 4. 21.

## 변기 박사

수정초 3학년 박건률

화장실 변기가 막혔다고
엄마가 말했다.
냄새가 심했다.
근데 아빠가 뚫어뻥도 없이
나무젓가락으로 한방에 뚫었다.
박수가 저절로 나왔다.
아빠한테 엄지척을 날렸다.

2023. 4. 21.

# 피구

수정초 3학년 박건률

스포츠의 날이라
다른 반과 피구를 했다.
신나고 떨리는 마음으로 재밌게 했다.
2반 수호가 공을 너무 세게 던져서
은준이가 머리에 맞아 아파서 울었다.
수호는 미안해했다.

2반 다른 친구들이 수호한테
"세게 던지는 건 괜찮은데,
 너무 세게는 아니잖아."라고 했다.

이런 적이 처음이어서 신기했다.

2023. 5. 11.

# 고양이

수정초 3학년 박건률

우리 집에 고양이를 키운다.
이름은 오로라이다.
정말 귀엽지만
귀여운 것만 좋지
다른 것은 좋지 않다.

우리 고양이는 토하고
똥 냄새와 이불에 오줌,
우리한테 상처를 준다.
또 양말까지 다 꺼내 온다.

학교 여자 아이들이
고양이 키우고 싶다는데
"키우지 마라. 고생한다."

2023. 7. 13.

# 할머니

수정초 3학년 박건률

학교 끝나고 집까지 뛰어오느라
땀이 났다.
엘리베이터 타는데
안에 타고 있던 할머니가
"밖에 비 오나?"라고 말했다.
나는 웃음이 터졌다.

2023. 7. 14.

# 마! 내가 왔다

수정초 3학년 박건률

친구들과 찜질방에 갔다.
우철이가 먼저 아이스방에 갔다.
조금 있다 나도 들어갔는데
우철이만 있는 것 같아서
"마! 내가 왔다."라고
크게 말했다.
구석에 할머니가 있었는데
당황한 표정이었다.
할머니한테 사과를 했다.
우철이는 계속 웃으면서
재연하라고 시켰다.

2023. 11. 9.

# 물고기

수정초 3학년 박서연

우리 반에 어항이 생겼다.
나도 집에서
열대어 구피를 들고 왔다.

아빠가 임신한 구피
두 마리를 넣어 주셔서
반에서 아기를 낳았다.

'큰 물고기가 작은 물고기를
먹으면 어쩌지?'
걱정이 돼서
자꾸 어항을 쳐다본다.

2023. 5. 25.

•박서연•
시는 소중한 내 친구야. 항상 나랑 같이 있거든.
시야 고마워.
너는 내 고민 상담소도 되어주고
나의 소중한 친구가 되어주기도 하잖아.
시야, 나의 영원한 친구가 되어줘.

# 봄까치꽃

수정초 3학년 박서연

운동장에 피어 있는
봄까치꽃

파랑색, 흰색 섞여 있는
봄까치꽃

작고 동그래서
너무 아기자기하다.

우리 동생도
아기자기하면 좋겠다.

2023. 6. 2.

# 엄마

집에서 피아노를
치고 있는데
동생이 와서
치고 싶다고 했다.
다 치고 해준다고 했는데
동생이 울었다.

동생이 엄마한테 말해서
나만 혼났다.
엄마한테 진실을 말해 주었다.
엄마가 나한테 사과를 했지만
그래도 억울하다.

2023. 6. 22.

# 영어 선생님 너무 싫어

수정초 3학년 박서연

영어 선생님이
내가 오자마자 잔소리
공부를 하고 있을 때도 잔소리
"서연이는 공부할 마음이 없어.
녹화 발음이 왜 안 돼?"

나는 노력하고 있는데
내가 뭘 잘못했다고
4일째 잔소리만 듣고 있다.
영어 학원 끊고 싶다.

2023. 9. 25.

# 엄마의 말

수정초 3학년 박서연

공개수업 마치고 나서
엄마가 내 칭찬을
해줄 줄 알고 기대했는데
오히려 선생님 칭찬을 한다.
"서연아, 너희 선생님 진짜 착하시다."
"엄마······."

2023. 9. 26.

# 미술관

수정초 3학년 박서연

연휴에 가족과
부산 피아크 미술관, 커피숍에 갔다.

미술 작품을 보고 있는데
동생은... 하
한숨이 나온다.
미술 작품을 보자 해도
절대 보지 않고
빈 벽과 장식품 같은
필요 없는 데만 본다.

"너, 대체 왜 그래?"

2023. 10. 5.

# 받아쓰기 전이라면

수정초 3학년 박서연

1교시가 받아쓰기다.
아침활동 시간에
친구들이 받아쓰기
준비를 한다.
원래 같았으면 떠들 텐데
너무 조용하다.
친구들 조용한 모습이
너무 낯설고 웃기다.

2023. 11. 8.

## 아버지

수정초 3학년 서영후

아빠는 기계를 잘 만지신다.
컴퓨터가 안 되면 고치고
세탁기도 고장나면 드라이버로 고친다.
제일 잘하는 건 운전이다.
차에 대해 많이 알고
운전을 잘해서 멋있다.

2023. 4. 21.

•서영후•
시는 친구야. 시를 쓰면 친구와 노는 것처럼 재밌거든.
시는 우리 반 친구이다. 왜냐하면 시는 우리 반을 뜻하기 때문이다.
시야! 1년 동안 고마웠어.

# 운 좋은 날

수정초 3학년 서영후

축구하다 넘어져서 울고 있는데
엄마가 위로해 주고
안아주어서 고마웠다.
엄마 품이 너무나 따뜻했다.

2023. 4. 27.

# 나비

수정초 3학년 서영후

팔랑팔랑 훨훨 나는 나비
노랑 나비, 흰 나비
훨훨 나니
내 마음
별처럼 아름답다.

2023. 6. 16.

# 비바람과 우산

수정초 3학년 서영후

비가 내렸다.
빗소리를 들으러 갔는데
토독토독톡도도독

근데 바람이 윙윙
불쌍한 우산
바람에 날아가서 더 불쌍하다.

2023. 7. 14.

# 빠삐코

수정초 3학년 서영후

빠삐코를 따려고 하는데
줄줄 흐른다.
결국 가위를 사용해서 땄다.

친구들 따는 것도 도와주었다.
도와주니 내 마음이 뿌듯하다.

2023. 7. 21.

# 바닷가

수정초 3학년 서영후

찰삭 찰삭 파도 소리
딱 딱 게 소리
뿌~ 배 소리

바닷가에는
여러 가지 소리가 있다.
내 마음도 춤을 춘다.

2023. 10. 12.

# 엄마와 동네 한 바퀴

수정초 3학년 서영후

엄마와 산책을 갔다.
"언제 이렇게 잘생긴 남자랑 손잡아 보노?"
이렇게 말해서 기분이 좋았다.
공개수업 때 못 와서 미안하다고 했다.
누나 교복 맞추러 갔다가
시간을 착각했단다.
서운했던 마음이 위로가 되었다.


엄마와 함께한
따뜻한 산책길이었다.

2023. 10. 19.

# 프린터기 대 참사

수정초 3학년 오혜원

어제 색칠 공부를
뽑았다.

그림 1개인 줄 알았는데
34장이었다.

34장이 모두 다 뽑혔다.

정말 정말 당황했다.

2023. 6. 2.

•오혜원•
시는 하늘이야. 하늘처럼 넓은 주제가 있기 때문이야.
학교에서 시를 쓰기 위해 밖에 나갈 때 빼고 시 쓸거리가 없다.
아무리 생각해도 시 쓸거리가 없다.

# 샤워

수정초 3학년 오혜원

집에 와서 씻으려고 했다.
언니가 수학여행 갔다 와서
먼저 씻으라고 했다.
내가 먼저 씻으려고 했는데
엄마 때문에 언니가 먼저 씻었다.

저녁밥 먹고 숙제하고 놀다가
간식을 먹고 있었다.
엄마가 빨리 씻으라고 했다.
그 과자는 한 번 뜯으면
다 먹어야 한다.
그래서 먹었다.

엄마가 빨리 씻으라고 했다.
"집에 와서 내가 먼저 씻으려고 했는데."라고 말했다.
엄마는 핑계라고 했다.

2023. 6. 22.

# 유통기한

수정초 3학년 오혜원

저녁에 할머니집에 갔다.

맥주가 있었다.
유통기한이 2022. 5. 20.
복숭아 통조림도
유통기한이 1년이나 지났다.

할머니가 토요일에
2023년 5월까지인
유통기한이 지난 주스를 마셨다고 했다.
청국장도 2022년 3월까지다.

내가 좋아하는 빵또아가 있었는데
그것도 유통기한이 지난 것 같아
불안해서 안 먹었다.

2023. 7. 5.

# 운수 좋은 날

수정초 3학년 오혜원

오늘만 장화를 신고 왔다.
양말도 하나 더 들고 왔다.

국어 시간에 밖에 나가서
비를 관찰하기로 했다.
장화를 신고 오다니
운이 좋았다.

엄청 깊은 데도 들어가고
진흙에도 들어갔다.

오늘은 정말 운이 좋았다.

2023. 7. 14.

# 놀이공원 가는 길

수정초 3학년 오혜원

롯데월드에 가려고
차를 타고 간다.

자동차 안내음이
여자 목소리로 되어 있어서
나랑 언니가
'남자 목소리로 바꿔줘'라고 했는데
차가 못 알아듣고
'남자들의 마지막 장난감'을 검색해서
길을 안내했다.
도착 시간이 20분 늘어났다.
엄마가 중간에 눈치채고
다시 롯데월드로 갔다.
우린 계속 웃었다.

2023. 10. 5.

# 비누 거품

수정초 3학년 오혜원

샤워하고 물기를 닦는다.

어! 비누 거품이 조금 있다.
머리카락에 있는 물로
뚝뚝 떨어뜨렸다.
하나도 안 맞았다.

공격은 안 되지만
방어를 잘한다.

2023. 10. 17.

# 핸드폰 압수

밥 먹으며 은서에게 물었다.
"너 요즘 유튜브 자주 봐?"
"아니"

'왜 그렇지?' 생각하고 있는데
은서가 말했다.
"나 핸드폰 압수 당했어."

소윤이한테 은서가 너무 불쌍하다고
말하고 싶었는데
은서 기분이 더 나빠질까 봐

마음속으로만
'불쌍하다, 불쌍하다.' 말한다.

2023. 11. 30.

# 자석의 원리

수정초 3학년 유소율

과학 시간에
자석의 원리를 배웠다.
내 친구 소원이는
몸에 자석이 붙었나 보다.
쉬는 시간마다
친구들이 들러붙는다.

2023. 4. 17.

•유소율•
시는 내 이야기를 들어주는 특별한 친구야.
시는 조용히 내가 말하면 귀 기울여 들어주거든.
시는 너무 어렵다. 지금도 무엇을 쓸지 생각도 않는다.
시는 너무 어렵다. 진짜로 너무 어렵다.

# 땅따먹기 선생님

수정초 3학년 유소율

교실에서 땅따먹기 놀이를 했다.
바둑알을 퉁 치니깐
선생님 때문에 속상했던 일에 걸렸다.
내가 손을 들었는데
발표를 시켜주지 않아 속상했다고 했다.
친구들이 물었다.
기분은 어땠니?
기분은 당연히 속상하고 짜증났어.
선생님의 심정은 어땠을 것 같아?
미안하셨을 것 같아.

선생님이 우리 모둠에 와서
그 얘기를 하니
진심으로 미안해하셨다.

선생님이 너무 미안해하니
내가 잘못한 것 같은 기분이다.

2023. 5. 19.

## 시인의 말은 옳다

수정초 3학년 유소율

교실에서 시를 볼 때
'풀꽃'이라는 나태주 시인의 시를 보고
존경하게 되었다.

민들레는 아름답다.
어제 비가 와서
반짝반짝 빛나는 은구슬도 달려 있다.
자세히 보면 아름답다는 사실
오래 보면 사랑스럽다는 말도 사실이다.
주황색과 노랑색의 꽃잎이 어우러져
사랑스럽다.

시인의 말은 옳다.

2023. 6. 2.

# 비전

수정초 3학년 유소율

빗소리를 들으러 나갔다.
촤아아악
자세히 들어보니까
치이이익아
이거 많이 들어 봤는데
다시 다시  치이이익 치이이익
아! 알겠다.
이건 전 굽는 소리

2023. 7. 14.

# 숙제

수정초 3학년 유소율

내가 제일 싫어하는 말은
'숙제해라'이다.
학교 숙제에 학원 숙제까지 더하면
네 개나 된다.
학교 숙제를 하지 못하면
개인별을 못 받는다.
수학 학원 숙제를
한 바닥이라도 안 하면
30분을 더해야 한다.
영어 학원 숙제를 안 하면
심하게 혼난다.
내 맘 몰라주는 부모님이 밉다.

2023. 9. 15.

# 강아지

수정초 3학년 유소율

소원이 집에 가는 엘리베이터에서
귀여운 강아지를 봤다.
"와~ 귀엽다."
"그니깐."
둘이 이렇게 말했는데
강아지가 멍멍 짖으며
치아와처럼 우리에게 달려든다.

근데 다시 한번
"무섭다."라고 했는데
놀랍다.
안 짖는다.

2023. 10. 17.

# 나만의 시

수정초 3학년 유소율

선생님께선 시를 쓸 때
경험을 살려서
감동의 순간을 잡아서 구체적으로
나만이 할 수 있는 말로
나만의 시를 쓰라고 하는데

그 뜻을 모르겠다.
진짜로 모르겠다.

2023. 11. 30.

# 책 읽게 해 주세요

수정초 3학년 유준

아침 활동 시간에
친구들이 많이 떠들었다.
난 조용히 책을 읽고 있었다.
교실이 너무 시끄러워져서
선생님이 눈을 감으라고 했다.
책 뒷이야기가 궁금했는데
못 읽어서 속이 터졌다.

2023. 5. 3.

•유준•
시는 무지개야.
무지개가 여러 색깔이 있는 것처럼, 시는 여러 마음이 담겨 있으니까.
점심시간에 시를 쓰려고 했다. 보드게임이 보여서 갑자기 하게 됐다.
끝나고 시를 쓰려는데 선생님이 영화를 틀었다. 그냥 영화만 봤다.
내 마음속 천사가 소리친다. 시는 언제 쓸 거야!

# 벌

수정초 3학년 유준

집에 가는데 벌이 보인다.
날개 한 쪽이 없었다.
벌은 움직이지만 날지 못한다.
구해주고 싶지만
쏘일까 봐 못했다.
집에 와도
계속 생각이 난다.

2023. 6. 22.

# 너무한 엄마

수정초 3학년 유준

엄마랑 동생이
코로나에 걸렸다.
엄마가 나를 지켜준다고 했다.
얼마 뒤 거실에서
엄마가 마스크를 벗는다.
너무하다.

2023. 6. 26.

# 친구

수정초 3학년 유준

친구와 놀고 있었다.
무언가 보였다.
뱀 뼈였다.
친구가 그걸 들었다.
난 이렇게 생각했다.
'뱀보다 더 강한 맹수가 여기 근처에 있나 보다.'
난 말없이 도망쳤다.
내 친구는 안 도망간다.
안 무서운가 보다.

2023. 7. 13.

# 수학 학습지 먼저 푼 최후

수정초 3학년 유준

선생님 허락 없이
몰래 수학 학습지를 풀었다.
다 풀고 확인하니까
내 짝꿍 학습지였다.
몰래 풀어서
벌 받은 것 같다.

2023. 9. 12.

# 고백

수정초 3학년 유준

친구가 나한테 고백을 했다.
난 어쩔 수 없이 '어'라고 했다.
'사실 난 널 좋아하지 않아.'라고
말하고 싶은데
그 애가 속상할까 봐 못 한다.

2023. 10. 12.

# 선생님이 되면 느끼는 것

수정초 3학년 유준

친구가 수학 시간에
"이거 맞아?"
"이거 어떻게 하는 거지?"
쉬지 않고 나한테 질문을 한다.
왠지 내가 선생님이 된 느낌이다.
근데 좀 귀찮다.
난 어른 돼서
선생님은 못 될 것 같다.

2023. 11. 21.

# 엘리베이터

수정초 3학년 이람

엘리베이터를 탔다.
어떤 아저씨들끼리
"에휴... 쯧쯧.
요즘 애들은 저렇게 가방이 가벼울까.
내가 어릴 때는 가방이 엄청 무거웠는데."
내 가방을 들어보지도 않으셨으면서
당당하게 말한다.
가볍긴 하지만
기분이 나빠서
씩씩거리며
집에 들어갔다.

2023. 6. 22.

•이람•
시는 주말이야. 시에 자기 마음을 털어놓으면 주말처럼 편안하니까. 시를 쓰기 전에는 쓸 게 무지무지 많다. 하지만 막상 쓰려고 하면 쓰고 싶었던 걸 까먹게 된다. 원래 다섯 편 정도 쓸 내용이 있었는데 실제로 쓰려면 다 까먹고 한 편 쓸 내용도 잘 안 떠오른다. 친구들은 시를 정말 많이 쓰던데... 나도 친구들처럼 쉽게 두 편을 쓰고 싶지만 잘 안 된다. 그래서 내 버킷리스트는 하루에 시 두 편이다.

# 수정 등굣길 음악회

아침에 음악회 가서
음악을 듣고
언니가 학교 오는 걸 봤다.

내가 음악회 다녀왔다고 하니
"그걸 왜 보고 와?
반에 가서 아침활동 해.
아니면 책 읽어"

어이가 없다.
자기가 오케스트라 해서
공연하면 좋아할 거면서

이 억울함을
세상 널리 널리
알리고 싶다.

2023. 6. 23.

# 강아지 이야기는 그만

수정초 3학년 이람

친구들이 부럽다.
뭐만 하면 강아지, 강아지
강아지를 키우는 친구
죽은 강아지 이야기

너희가
강아지를 좋아하는 건 알겠지만
난 강아지를 키울 수 없어.
그만 얘기해 줄래?

2023. 7. 13.

# 못 알아듣겠어요

수정초 3학년 이람

장기자랑으로
칼림바 연주가 끝났다.
친구들의 박수 소리와
함께 들리는 선생님의 말
"느리지만 잘했어."

기분 나쁘면서 기쁘다.

2023. 7. 21.

# 마음

수정초 3학년 이람

현장체험학습 갈 때
실수로 이어폰을 안 들고 왔다.
소원이가 복도 쪽에 앉아서
친구들과 이야기도 못 하겠고
음악도 못 듣고
빌리고는 싶지만
올 때 빌려서 빌리기도 좀 그렇고
자고 싶은데
잠은 안 온다.
어쩔 수 없이
창밖을 보면서 왔다.

2023. 10. 30.

# 1000원

수정초 3학년 이람

착한 시장 사장님이
1000원을 깎아줬는데
엄마가 1000원 더 깎아주라고 한다.
근데 진짜 깎아 주신다.

"시장에서 8000원으로
귀마개를 사는 사람이 어딨냐?
바로 여깄지."

우리 엄마는 나한테
"엄마 잘했지?" 물어본다.
난 "응"이라고
어쩔 수 없이 말하지만
자꾸 깎아서 부끄럽다.

2023. 11. 19.

# 아이북

아이북이 며칠이 지나도 안 왔다.
선생님께서는 조만간 올 거라고 한다.
드디어 내일 아이북이 온단다.

오늘 아이북이 온다.
아침에 일어날 때부터 기대가 됐다.
근데 선생님께서 아이북이
오후에 온다고 하신다.
정말 기대했는데
이럴 때는 6교시가 아닌 것이 아쉽다.
내일은 받을 수 있겠지?

2023. 11.20.

# 쓸쓸한 골키퍼

수정초 3학년 이서영

체육 시간에 축구를 했는데
내가 골키퍼가 됐다.
야호! 신났다.
그런데 공이 안 온다.
어?
발로 운동장에 그림을 그렸다.
혼자 춤도 추고 노래도 부른다.
그래도 공이 안 온다.
나 혼자만 쭈굴쭈굴 있었다.
너무 쓸쓸했다.

2023. 4. 3.


•이서영•
시는 인형이야. 인형처럼 포근하거든.
시 쓰기가 너무 재밌다. 그런데 시 쓸 건 많은데 진짜 뭐라고 할지
모르겠다. 이렇게 말할 때만 시에 쓸 내용이 번뜩! 떠오른다. 앞으
로 '시를 어떻게 쓰지?'라고 생각하며 시에 쓸 아이디어를 떠올려야
겠다.

# 동생

수정초 3학년 이서영

동생이 날 먼저 때려서
나도 때렸다.
동생이 울면서 할머니께 말했다.
나만 혼났다.
난 너무 억울하다.
너너너너너무
억울하다.

2023. 6. 22.

# 정말 차이가

수정초 3학년 이서영

너무 강아지를 키우고 싶어서
강아지 숍에 갔다.
너무 귀여웠다.
그때 토이푸들이라는 작은 강아지를 봤다.
정말 순진하고
내가 다가가면 핥아주는
작은 강아지였다.
근데 그 밑 칸은
아주 신나게 춤을 추고 있었다.
정말 차이가 많이 난다.

2023. 7. 13.

# 종이 놀이

수정초 3학년 이서영

소율이와 함께
종이 놀이를 만들었다.
내 건 이쁘게 나와서
만족했다.
옷도 만들었다.
소율이 거도 이쁘게 나왔다.
역시 내가 만든 건
잘 만든 것 같다.
하핫

2023. 7. 14.

# 내 조끼

탑마트에서 새 조끼를 샀다.
보들보들 폭신해서
이 조끼로 골랐다.
색깔은 연보라다.
이 푹신한 조끼를 입으면
우리 가족 품에 안기는 것 같다.

2023. 10. 17.

## 짜파게티

수정초 3학년 이서영

나는 짜파게티를 못 먹는다.
가장 좋아하는 음식인데
아토피가 있기 때문이다.

내가 너무 먹고 싶어하면
엄마, 아빠가 끓여 주신다.
"네가 아토피만 없으면
몇 개라도 끓여주지."
짜파게티를 먹으면 피부가 올라오니
심각해 질 것 같아 걱정이다.

내 맘대로
맛있게 짜파게티를
먹고 싶다.

2023. 10. 19.

# 낙엽

수정초 3학년 이서영

나는 가을이 좋다.
바삭바삭
낙엽 밟는 게 너무 재밌고
소리도 좋기 때문이다.
바삭 바삭 바삭
너무 재밌다.
겨울엔
더 더 바삭해지면 좋겠다.

2023. 11. 2.

# 선생님은 술래

수정초 3학년 이우정

교실 밖 수업을 했다.
난 선생님이랑 술래잡기를 한 것이
제일 재미있었다.
선생님은 술래도 하고,
도망가면 우리가 잡기도 했다.
정말 재밌었다.
우리의 장난을 잘 받아주신다.
정말 좋았다.

2023. 4. 4.

•이우정•
시는 수영장이야. 수영장처럼 넓어서 쓸 게 많거든.
시는 하늘처럼 넓다.
하늘처럼 많은 시를 쓸 수 있다.
때로는 구름처럼
머리가 하얀 것 같다.

# 선생님은 나쁘다

수정초 3학년 이우정

선생님과 같이 가가볼을 했다.
선생님이 피하다가 넘어지면서
내 다릴 잡았다.
놔주라고 해도
웃으면서 꽉 잡았다.
움직일 수 없어
난 아웃이 되었다.
선생님이 나쁘다고 느꼈다.

2023. 5. 16.

# 땅따먹기 놀이

수정초 3학년 이우정

시 쓰기 시간에
땅따먹기 놀이를 했다.
바둑알을 쐈더니
가족에게 미안했던 일에 들어갔다.
엄마가 밥을 먹으러 가자고 했는데
내가 안 먹고 싶다고
집에서 쉬고 싶다고 했다.

오늘도 그 기분을 느꼈다.
아직도 죄송하다.
이번 시간에 과거로 돌아간
기분이다.

2023. 5. 19.

## 교장선생님께서

수정초 3학년 이우정

과학 시간에
공개수업을 했는데
교장선생님께서
나한테만
지구 표면이 뭐냐고 물어보셨다.
산, 바다, 들이라고 했다.
내가 제일 과학을
잘하게 생겼나 보다.

2023. 6. 23.

# 알아서 해라

수정초 3학년 이우정

엄마가 짜증날 때
내가 뭐 뭐 할까요? 물으면
"니 알아서 해라."라며 짜증을 낸다.
나한테 화풀이 하는 것 같아
기분이 안 좋다.

2023. 9. 14.

# 불쌍하다

수정초 3학년 이우정

휴게소에 고양이 한 마리가 있다.
그 앞에 한 아저씨가
고양이가 겁을 먹게
발로 쿵! 한다.
고양이가 놀라 도망간다.
난 밥이라도 주고 싶었는데
다리를 넘어 멀리 도망간다.
너무 불쌍하다.

2023. 10. 5.

# 139

수정초 3학년 이우정

오늘 뽑기를 하기 위해
열심히 칭찬별을 모으고 있다.
이제 책만 한 권 빌리면 뽑기다.
도서관에 갔는데
연체가 돼서 책을 못 빌린다.
허탈하다.

2023. 10. 31.

# 나비

수정초 3학년 정시율

요즘 애벌레가 사육상자 안에서
등산을 많이 한다.
어떤 애벌레는 천장까지 갔다가
아래로 툭 하고 떨어졌다.
다친 데는 없는지 살펴보았다.
다행히 다친 곳은 없었다.
그래도 조금 신경 쓰였다.

드디어 나비가 됐다.
고운 빛깔에 눈이 부셨다.
정말 정말 예뻤다.
하지만 이제 풀어줘야 해서 아쉬웠다.
아직까지 그 모습이 생각난다.

2023. 5. 19.


•정시율•
시는 놀이동산이야. 시를 쓰면 너무 즐겁거든.
시를 쓰기 전에는 쓰기 싫은데, 쓰고 나면 기분이 너무 좋다.

144

# 땅따먹기 놀이

수정초 3학년 정시율

땅따먹기 놀이를 했다.
바둑돌로 핑핑 소리를 내며
땅을 차지했다.

우리는 팀전으로 했는데 무승부였다.
그래서 한 번씩 더 했다.
은율이는 통과를 했는데
내가 할 때는 종이가 미끄러져
다른 데로 굴러가 버렸다.

은율이와 우정이는 그것도 한 거라고
한 번의 기회를 더 주지 않았다.
너무 화가 났다.

2023. 5. 19.

# 언니 때문에

수정초 3학년 정시율

언니가 내 방에 왔는데
난 공부를 하고 있었다.

언니가 아무 이유 없이 내 어깨를 쳤다.
어이가 없어서 왜 쳤냐고 물어봤다.

언니가 엄마한테 달려가서
시율이가 내 방에 와서
어깨를 치고 욕을 썼다고 말했다.

자기가 왜 쳤냐고 말했는데...
또 욕을 했다고 말했다.

난 엄마한테 사실대로 말하려고 했는데
엄마는 내 말은 듣지도 않고
다짜고짜 화부터 냈다.
난 아직도 억울하다.

2023. 6. 22.

# 달팽이

수정초 3학년 정시율

먹이를 주려고 달팽이 전용통을 열었다.
달팽이는 눈치가 있는 것 같다.
뚜껑을 열자마자 도망쳤다.
통 안에 있을 땐 느리게 움직이면서
뚜껑을 열면 항상 빠르게 도망친다.

먹이를 다 넣고
달팽이를 넣으려고 하는데
달팽이가 안 보인다.
벌써 화장실 밖까지 도망쳤다.
떼어내려고 하니 힘이 너무 세다.
결국 먹이로 유인해서 떼어냈다.

그 작은 달팽이
이렇게 나를 힘들게 하다니.

2023. 7. 13.

# 듣기 싫은 말

수정초 3학년 정시율

엄마가 영어 학원에
결재하러 가는 날이다.
이번에는 단어도 잘 외우고
숙제도 한 개밖에 안 틀렸는데
선생님이 안 좋은 것만
쏙쏙 꼬집어 말한다.
엄마가 차 타면서
"친구는 이리 잘하는데
넌 왜 이렇게 못 하노?"
정말 기분 나쁘다.

2023. 9. 1.

# 사촌 동생

수정초 3학년 정시율

제주도에 사는 사촌 동생이 왔다.
기쁘게 환영을 했다.
사촌 동생이 몇 분 안 지나서
문구점에 가자고 한다.
황당했지만 어쩔 수 없이
저녁에 문구점에 갔다.
하지만 문구점이 문을 닫았다.

난 돈을 쓰지 않아서 기쁘지만
사촌 동생은 슬픈 것 같다.
난 기쁜 마음을 참고
사촌 동생을 같이 슬퍼해 줬다.

2023. 9. 26.

# 유치원 친구

유치원 친구가
유치원 때부터 지금까지
쭉 나를 좋아한다.
내가 사귀는 사람이 있다고 말해도
계속 좋아한다.
변하지 않는 마음에
나도 그 애가
조금씩 좋아진다.

2023. 9. 26.

# 이상한 리코더

수정초 3학년 조은서

리코더를 불었는데
소리가 이상하다.
엄마한테 말했더니
'좀 있으면 된다.' 했다.

다시 해도 안 되는데
엄마가 너무 쉽게 말해서
짜증이 났다.

2023. 4. 14.


•조은서•
시는 행복이야.
시를 쓰면 뭔가 기분이 좋아지거든. 기분이 좋아지면, 행복도 커지거든.
시는 나의 생각을 키우고
시는 나의 마음을 키우고
시는 나의 행복을 키운다.
시는 고마운 친구다.

# 선생님 술래잡기요

수정초 3학년 조은서

처음엔 친구들끼리
술래잡기를 했다.
선생님이 와서
이제 선생님이 술래다.

선생님이 술래라는 말에
나도 모르게 도망쳤다.
내가 금방 잡혔는데
선생님을 보니 달리기가
정말 빠르셨다.

그래서 난
'선생님보다 빨라질 거야!'라고 생각했다.

2023. 4. 4.

# 마니또

수정초 3학년 조은서

내가 뽑은 비밀 친구는 이서영이다.
서영이는 착하고 친절하다.
서영이가 웃으면
나도 웃음이 저절로 나온다.
서영이랑 맨날 wow! 하고 논다.
서영이에게 선물도 주고 기쁘게도 해줬다.
더 친하게 지내고 싶다.
서영이는 너무 귀엽다.

2023. 6. 9.

# 현장체험학습

난 오히려 기분이 안 좋았다.
비가 와서 안에서 공부만 했다.
원래 체험학습 가면 놀아야 되는데
그냥 교실에서 공부하는 느낌이었다.
체험학습 안 올 걸 그랬다.
그래도 밥 먹을 땐 재밌었다.

2023. 7. 6.

# 금붕어야 안녕

수정초 3학년 조은서

오늘은 정말 슬픈 날이다.
아침에 일어나 보니
금붕어 한 마리가
안 움직이고 있었다.
숨 안 쉬나 봤더니
죽어 있었다.
난 울었다.
너무 마음이 아팠다.
금붕어야 안녕!

2023. 7. 13.

# 달팽이

수정초 3학년 조은서

달팽이를
집에 들고 왔는데
달팽이가 너무 좋다.

'달팽아, 잘 자라야 돼!' 라고
했던 말을
하느님이 들으셨나 보다.
지금까지 잘 자라고 있다.

2023. 10. 17.

# 진로 체험 부스

수정초 3학년 조은서

진로 체험 부스를
빨리, 많이 하려고
이리저리 빨리빨리 갔다.
내가 빨리 가려는 이유는
도장을 다 받아
솜사탕을 먹기 위해
예쁜 물건을 더 많이 받기 위해

친구들을 보니
내가 못 받았던
물건들을 많이 들고 있었다.
참 슬펐다.

2023. 11. 13.

# 게임

엄마가 게임을 하지 말라고 했다.
엄마가 마트 갔을 때
아빠와 몰래 피파를 했다.
아빠가 게임에서 지지 않게 해줘서
고마웠다.

2023. 4. 27.

•조은율•
시는 놀이터야. 시는 재미있거든.

# 운동

수정초 3학년 조은율

아빠와 남강을 걸었는데
아빠가 달리기를 하자고 했다.
근데 아빠가 더 느리니까
내 바지를 잡는다.
나도 아빠 바지를 잡았다.
달리기 하다 레슬링을 할 뻔했다.

2023. 6. 29.

# 비둘기

수정초 3학년 조은율

학교를 마치고 뛰어가는데
바로 내 앞에서
새똥이 떨어졌다.
친구들이 '나이스 타이밍'이라고 했다.
진짜 나이스 타이밍이다.

2023. 7. 13.

# 내가 듣기 싫은 말

수정초 3학년 조은율

내가 열심히 운동하고 와서
잠시 누워 있으면
우리 누나는 계속
"공부해라."
"빨리 하고 쉬라."
나도 좀 편히 쉬고 싶다.

2023. 9. 14.

# 공개수업

수정초 3학년 조은율

공개수업을 했다.
엄마한테
'잘했다'는 말을 듣고 싶었는데
'아빠 닮았다.'고 했다.
아빠랑 나는 떨리면
다리가 흔들린단다.

2023. 9. 26.

# 축구

수정초 3학년 조은율

축구를 하는데
서진이 형이
긴 크로스를 주었다.
내가 골을 넣었다.
'맛있다'라고 해서
모두 웃었다.

2023. 10. 22.

# 호날두

수정초 3학년 조은율

우리 반은 신기하다.
축구 경기를 할 때
다른 반에서는 안 하는
호날두 세레머니를 한다.
양팔을 뿌리며 '수~~'
나도 하긴 하지만
우리 반은 조금 심한 것 같다.

2023. 11. 13.

# 술래잡기

수정초 3학년 차윤우

선생님과 술래잡기를 했다.
후다닥 후다닥
빠르게 피해야 한다.
선생님은 빠르다.
소닉 같다.
하지만 난 안 잡혔다.

2023. 4. 4.

•차윤우•
시는 즐거움이야. 시를 쓰면 즐거워지니까.
시 쓰기 시간은 재밌다. 하지만 쓰려고 하면 머리가 복잡해진다.
그래도 나는 시를 쓸 거다. 시는 고민을 털어놓을 수 있기 때문이다.

## 회초리

수정초 3학년 차윤우

시 쓰기 시간에 땅따먹기를 했다.
'가장 슬펐던 순간'이 걸렸다.
동생이 나를 회초리로 때린 일을 말했다.
내가 동생을 때려서
동생도 나를 때렸다.
어린 동생한테 회초리로 맞다니…
너무 슬펐다.

2023. 5. 19.

# 석류나무

수정초 3학년 차윤우

오감 카드를 쓰러 운동장에 갔다.

난 석류나무를 택했다.
꽃의 색은 주황색이고
손으로 만지면 딱딱하다.

아무 냄새가 안 나고
아무 소리도 안 들렸다.

식물을 고르는 게 참 어렵다.

2023. 6. 2.

# 고기 굽는 소리

수정초 3학년 차윤우

아빠, 동생과 고기를 먹는다.
아빠가 고기를 굽는다.

치이이이이익이이익

너무 소리가 좋다.

2023. 7. 6.

# 지긋지긋한 소리

수정초 3학년 차윤우

TV를 보고 있었다.
아빠가
"책 읽어라."

밥을 먹고 있었다.
"책 읽어라."

아빠는 핸드폰을 보면서
우리한테만 책 읽으라고 한다.

계속 책 읽으라니 현기증이 난다.
아빠가 먼저 책 읽고 말하지.
지긋지긋하다.

2023. 9. 27.

# 낚시터

수정초 3학년 차윤우

현장체험학습을 갔다.
낚시터에서 낚시를 했다.

한 마리도 안 잡힌다.
조금 기다린다.
그래도 안 잡힌다.

다른 애들은 잡히는데
나만 안 잡힌다.
빈 낚시대만 꽉 잡고 있다.

2023. 12. 30.

# 설거지

수정초 3학년 차윤우

설거지를 했다.
너무 힘들었다.

땀이 뻘뻘 났다.

이렇게 힘든 걸
엄마, 아빠가 매일 하다니

엄마, 아빠가 고맙다.

2023. 12. 12.

# 알았어요

수정초 3학년 최서희

친척집 어디 가서도
'알았어요'라고 말할 수밖에 없다.
어른들이 막내라고
만만하게 보는 것 같다.

"공부 좀 해라."
-알았어요.
"물 좀 떠 와라."
-알았어요.

싫다고 할 수도 없고
진짜 용돈 목적 빼고는
친척집에 가기가 싫다.

2023. 4. 3.

•최서희•
시는 나의 소중한 친구야.
내가 슬프고 외로울 때 함께 옆에 있어주니까.
1년 동안 시를 썼다. 힘든 일, 속상한 일, 행복한 일, 재밌는 일을
시로 쓰면, 속이 뻥~ 뚫린다. 그래서 시에게 너무 고맙다.

# 선생님

수정초 3학년 최서희

선생님은 나쁘다.
우리 반 수업만 해야 하는데
7반 가서 시 수업을 한다.
4반, 1반도 갔다고 한다.
우리 선생님이
다른 반에서 수업할 땐
다른 반 선생님 같아서 싫다.
다른 반에 스며들까 봐 걱정된다.
화나고 짜증난다.

2023. 4. 10.

# 그네 도둑

수정초 3학년 최서희

그네를 타려고 줄을 섰는데
나보다 늦게 온 동생이
줄을 섰다.

내 차례가 되어
그네를 타려는데
내 뒤에 있던 동생이 가서
당당하게 그네를 탔다.

어이가 없어서
따지려고 했는데
애기처럼 너무 귀여워서
따질 수가 없었다.

결국 못 따지고
억울하기만 했다.

2023. 6. 22.

# 참실이

수정초 3학년 최서희

우리 아파트에 고양이들이 많다.
그중에 우리에게 살며시 다가와 준
고양이 한 마리가 있다.

우리는 이름을 참실이라고 지어줬다.
참실이는 말도 못하고
귀가 짤려서 위가 뭉툭하다.
아픈지 잘 안 움직인다.

너무 너무 속상하다.

길고양이 밥 주는 아주머니가 말씀하셨다.
"그 고양이는 가장 늙어서
좀 있다 죽어.
가엾기도 하지."
그 말을 듣고
눈물이 쬐금 나왔다.

세상에 죽는 게
없었으면 좋겠다.

2023. 7. 13.

# 내가 듣기 싫은 말

수정초 3학년 최서희

열심히 피아노를 치다
조금 쉰다고 있으면

"서희야,
대상 받으려면
더 열심히 해야 돼.
좀 열심히 해."라고
무섭게 말한다.

대상을 받고 싶은 마음과
열심히 하는데
계속 열심히 하라고 해서
화나기도 한다.

2023. 9. 14.

# 콜라 추리사

수정초 3학년 최서희

엄마를 콜라를 따를 때
꼭 말씀하신다.

"흘린다. 조심히 따라라.
 콜라 흘리면 얼마나 끈적거리는지 아나?"

엄마가 낮잠 잘 때
콜라를 따르다 바닥에 흘렸다.
열심히 닦아서 완벽하다 싶었다.

콜라 마시며 쉬고 있는데
엄마가 깨서 주방에 물 마시러 갔다.
근데
"뭐 이리 끈적하노?"
-어, 어. 몰라.

엄만 걸레로 닦으며
"칠칠맞게 와이라노?"라고 했다.
엄마는 콜라 추리사다.

2023. 10. 19.

# 우리 집에서 가장 예민한 사람

수정초 3학년 최서희

둘째 언니는 너무나 예민하다.
오늘 학교 급식 맛있었다고
엄마한테 말하고 있는데
자기 혼잣말로
"왤케 말이 많아. 어지러운데."
눈을 밑으로 깔고
언니를 살짝 봤더니
날 째려봤다.

원래도 예민한데
사춘기가 되니
더 예민해진 것 같다.

2023. 12. 14.

# 슬픈 어린이날

수정초 3학년 최성훈

어린이날에 비가 와서
놀러 갈 수도 없으니까
엄마가 공부를 시켰다.

슬프다.

2023. 5. 9.

•최성훈•
시는 생활이야. 생활 속에서 기억나는 일을 적기 때문이야.
시 쓰기 시간은 좋다. 시 쓸거리 찾는다고 공놀이도 하고 밖에 나
가기도 한다. 그래서 시 쓰기가 좋다.

# 작은 이모

수정초 3학년 최성훈

할머니 집에 가면
사촌 동생이 있다.

사촌 동생이 발로 찼다.
약간 힘을 주어
왜 차냐고 말했는데
작은 이모가 왜 화내냐고
나한테 화냈다.

화낸 게 아닌데 억울하다.

작은 이모가 있을 땐
정말 사촌 동생을 조심해야 한다.

2023. 6. 22.

# 고양이

수정초 3학년 최성훈

길고양이가 있어서
치킨을 줄려고 하니까
엄마가 먹고 주라 한다.

나는 다 먹고
고양이가 도망가기 전에
줘야 하는데

계속 신경 쓰인다.

2023. 7. 13.

# 슬픈 날

수정초 3학년 최성훈

팔이 부러져서 운동장에
축구하러 못 나간다.

점심시간에
뭐를 할지 고민하고
못나가니깐 또 고민하고
어지럽다.

2023. 7. 21.

# 엄마 칭찬

수정초 3학년 최성훈

학교에서 공개수업을 했다.
수업이 끝나고
엄마가 잘했다고 칭찬을 해줬다.
공개수업 때마다
그 말을 들어서
칭찬 대신
그냥 뭘 사주면 좋겠다.

2023. 9. 26.

# 탕후루

수정초 3학년 최성훈

유등 축제에서
통귤 탕후루를 먹었는데
귤이 얼어 있었다.
그리고 이에 다 붙어서
3분의 2만 먹고 버렸다.
맛이 없었지만
탕후루를 버리니 아까웠다.

2023. 10. 17.

# 진로 체험 부스

수정초 3학년 최성훈

진로 체험 부스 중
슈링클 만들기를 했다.
잘 챙겨야 했는데
슈링클이 사라졌다.
아무리 찾아도 없다.
반과 이름 다 적혀 있는데
누가 좀 찾아주면 좋겠다.

2023. 11. 13.

# 축구

수정초 3학년 최우철

놀이터에서 친구들과 축구를 했다.
친구가 발을 심하게 걸어서 넘어졌는데
엄청나게 다쳤다.
안 그래도 다쳐서 속상한데
심판이 파울도 아니라고 했다.
집에서 밴드를 붙이는데
너무 따가워서
그 친구한테 마음속으로
욕을 했다.

2023. 6. 22.

•최우철•
시는 술래잡기야. 시는 술래잡기처럼 재미있거든.
시 쓰기 시간은 재밌다. 시를 쓰는 것도 재미있고, 시를 쓰면 선생님에게 칭찬도 받을 수 있기 때문이다.

# 고작 개똥 때문이에요?

수정초 3학년 최우철

나는 강아지를 키우고 싶다.
하지만 엄마가 반대한다.
항상 물어보면
"개가 똥 누면 니가 치울 수 있나?"
그 말을 들으면 힘이 빠진다.
개가 똥을 누지 말라는 것도 아니고
내가 하는 말은
"엄마 나빠!"
그 말을 들으면 엄마도 힘이 빠진다.
나는 강아지를 정말 키우고 싶다.

2023. 7. 13.

# 변명

수정초 3학년 최우철

진주 FC 코치님이
"왜 유니폼 안 입고 왔노?" 하면 우리는
"엄마가 빨래를 안 해서."이다.
항상 그렇다.
어떨 때는
"양말 왜 그거 신고 왔노?"라고 하면
"엄마가 빨래를 안 해서."
역시 똑같다.

2023. 7. 14.

# 자기는 얼마나 잘났다고 난리야

수정초 3학년 최우철

"와, 너 왜 이렇게 못생겼냐?"
자기는 얼마나 잘났다고 난리야.

"너 이것도 모르냐? 완전 바보네. 쯧쯧."
자기는 얼마나 잘났다고 난리야.

이런 말을 들을 때마다 생각한다.
'지는 나보다 못생겼으면서.'
'지는 나보다 더 바보면서.'
정말 기분 나쁘다.

2023. 9. 14.

# 부끄러운 건률이

수정초 3학년 최우철

친구들과 찜질방에 갔다.
난 아이스방에 있었는데
건률이가 들어오면서
"마! 내가 왔다."라고 했다.
옆에 할머니가 있었다.
건률이는 나 혼자 있는 줄 알았는데
할머니가 있어서
바로 "죄송합니다." 했다.
우리는 계속 웃었다.

2023. 11. 16.

# 교통사고

수정초 3학년 최우철

엄마, 누나와 같이
짜장면을 먹으러 가다
죽을 뻔했다.
길을 건널 때
차가 누나를 박을 뻔했다.
엄마와 난 울었지만
누나는 안 울었다.
엄마는 짜증나서
집에 가자고 했지만
제일 맛있게 먹었다.

2023. 11. 24.

## 이상한 할머니

수정초 3학년 최우철

CU에 앉아 있었는데
어떤 할머니가 왔다.
"안녕하세요."라고 인사를 했는데
할머니가
"남자냐? 여자냐?"라고 해서
남자라고 했다.
"꼬추 있나?"
"아니 음성도 여자인데."
또 물어서
무서워서 도망쳤다.

2023.  12.  13.

# 망했다

수정초 3학년 최소원

점심에 짜장면이 나왔다.
하필이면 흰 옷, 흰 마스크다.
짜장면을 먹었는데
옷에 묻었다.
휴지를 가지고 와서 닦으려고 하는데
마스크에 짜장이 묻었다.
너무 당황했다.
그래서 마스크를 버렸다.
그런데 옷은 어떡하지?
망했네.

2023. 5. 19.

•최소원•
시는 별이야. 시는 반짝반짝 하니까.

## 목요일이 좋아

수정초 3학년 최소원

목요일이 제일 좋다.
방과후학교가 없다.
집에 일찍 갈 수 있다.
모데라토에서 뭘 살 수도 있다.
숙제도 없고
집에 가면 나 혼자라서
오빠 과자를 빼먹을 수 있다.
하지만 일주일에 한 번 있는
6교시다.

2023. 7. 13.

# 칠순아 보고 싶어

수정초 3학년 최소원

2학년 때
강아지 칠순이를 키웠다.
산책도 시키고
잘 놀아주고
밥도 잘 주었다.
칠순이가 엄청 커져서
엄마가
"이렇게 큰 개는 어린이가 못 키워."
이렇게 말하고 외숙모집에 갖다 줬다.
칠순이가 보고 싶다.
잘 지내고 있겠지?

2023. 7. 13.

# 엄마 아빠가 보고 싶다

수정초 3학년 최소원

1학년 공개수업에도
2학년 공개수업에도
3학년 공개수업 때도 안 왔다.
엄마 아빠가 맨날 집에 오면
미안하다고 한다.
공개수업 때
다른 엄마 아빠가 오면
보고 싶다.

2023. 9. 26.

# 공주 놀이

수정초 3학년 최소원

공주놀이를 하는데
내가 공주가 되었다.
어딜 가더라도 친구들이 따라 온다.
내가 가고 싶은 곳도
위험하다고 가지 말라고 한다.
가만히 누워서
자고
크림 바르고 있어야 한다.
화장실을 갈 때도
우루루 쫓아온다.
공주 역할이 너무 힘들다.
"얘들아, 공주 하지 마."

2023. 12. 11.

# 훈이 머리

수정초 3학년 최소원

오빠가 삭발을 했다.
중1이 삭발하는 건 처음 봤다.
오빠가 와서 머리를 봤는데
짱구에 나오는 훈이가 떠올랐다.
웃기기도 하고
깡패 같아서 무섭기도 했다.

2023. 12. 12.

# 선생님

수정초 3학년 최소원

친구들과 놀 때
옆에 친구가
"어? 선생님이다."라고 해서
내가 큰 소리로
"선생님" 하고 불렀다.
지나가던 어떤 아줌마가 보고
우리한테 손을 흔들었다.
우리 선생님도 아니었다.
너무 부끄러워 얼굴이 빨개졌다.

2023. 12. 13.